# *Félicien*
# **Rops**

Patrick Bade

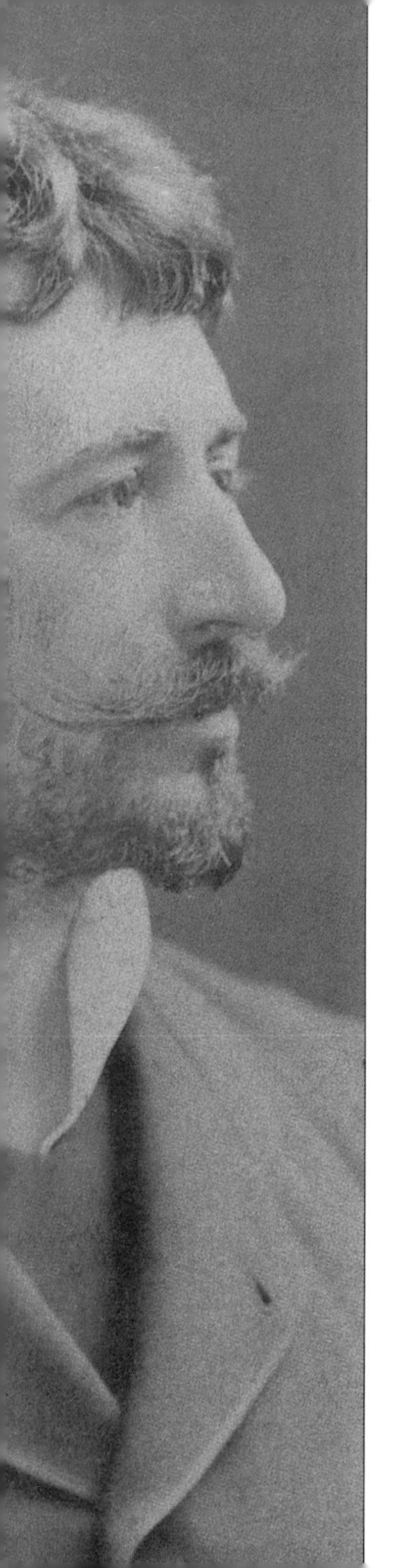

Directeur d'édition : Jean-Paul Manzo
Texte : Patrick Bade
Traduction : Luc Boussard
Éditeur : Aurélia Hardy
Assistante éditoriale : Marie-Bénédicte Astier

Maquette : Cédric Pontes
Couverture et Jaquette : Matthieu Carré


ISBN 1 85995 891 5

Imprimé en Slovénie



1- Photographie
de Félicien Rops, 1879.

# Félicien **Rops**

Le graveur et peintre belge Félicien Rops, qui a vécu au XIXe siècle, était avant tout un esprit littéraire. Nombre de ses œuvres parmi les meilleures puisent leur inspiration dans Baudelaire, Poe, Huysmans et Péladan. En retour, les écrivains de l'époque lui ont voué une folle admiration. Au cours des deux dernières décennies du siècle, Félicien Rops jouissait d'un tel prestige auprès de l'avant-garde littéraire que seuls Pierre Puvis de Chavannes et Gustave Moreau pouvaient peut-être prétendre s'en approcher. Dès les années 1860, Baudelaire, le principal mentor de Félicien Rops, lui rendit ce charmant hommage en vers, abondamment cité par la suite :

« Usez toutes vos éloquences
[...]
À dire combien j'aime
Ce tant folâtre Monsieur Rops
Qui n'est pas un grand prix de Rome
Mais dont le talent est haut comme
La pyramide de Chéops ! »

C'est en 1896 que Félicien Rops atteignit le sommet de la gloire, quand la revue littéraire *La Plume* lui consacra un numéro spécial contenant des panégyriques rédigés par de grandes figures du monde littéraire comme Huysmans, Octave Mirbeau, Péladan et José-Maria de Heredia. Tour à tour, ces écrivains y comparent sans rougir Félicien Rops à Léonard de Vinci, Dürer, Rembrandt et Goya, n'hésitant pas à proclamer que c'est chez lui, plutôt que chez Manet, Degas, les impressionnistes ou Toulouse-Lautrec, que l'esprit moderne trouve sa plus riche expression. Et la fascination qu'exerçait l'œuvre de Félicien Rops ne s'est pas limitée aux hommes de lettres ; des artistes peintres y ont eux aussi succombé, comme en témoignent les imitations, et même les plagiats, qu'elle a suscités. Rops était grandement apprécié de Puvis de Chavannes, dont

2- *Autoportrait*, vers 1860.
Crayon, 16,2 x 11,2 cm.
3- *Le plus bel Amour de Don Juan*, 1879.
Crayon, 24,2 x 16,5 cm.

les visions sereines et célestes semblent le reflet inversé des siennes, infernales. Comme on l'a souvent remarqué, la jeune fille nue et terrorisée de *Puberté*, la célèbre toile de Munch, est un emprunt direct au *Plus bel amour de Don Juan* de Félicien Rops.

Rops dut attendre le milieu des années 1880 et le triomphe du mouvement symboliste pour être enfin reconnu, alors qu'il était déjà entré dans l'âge mûr. À l'instar de Puvis de Chavannes et Gustave Moreau, qui sont devenus à la mode à la même époque, il avait quelques années de plus que la génération des peintres impressionnistes. Il fallait une réaction contre les idées matérialistes et positivistes dont s'étaient nourris le réalisme et l'impressionnisme pour que des artistes comme Puvis de Chavannes, Gustave Moreau, Odilon Redon et Félicien Rops, considérés jusque-là comme des excentriques s'adressant à un public restreint, pussent être pleinement appréciés. La nouvelle génération les trouvait soudain plus modernes et conformes à ses intérêts que les impressionnistes ou les peintres de la « Vie moderne » tels que Manet et Degas.

Dans une lettre célèbre à Gauguin, que celui-ci publia en introduction au catalogue d'une de ses

4- Gustave Moreau, *Salomé tatouée*, 1876.
Musée Gustave Moreau, Paris.

expositions, Strindberg, le grand auteur dramatique suédois, remarquait à quel point les attitudes de l'avant-garde parisienne avaient changé entre 1883 et 1885. En 1883, écrivait-il, « Manet est mort mais son esprit continue de vivre dans une école entière qui rivalise avec celle de Bastien-Lepage pour l'hégémonie ». De retour à Paris deux ans plus tard, Strindberg put constater que « au milieu des derniers spasmes du naturalisme, il est un nom que tous prononçaient avec admiration, celui de Puvis de Chavannes ». Les événements qui avaient précipité ce changement s'étaient produits en 1884, avec d'une part le succès que le mystérieux et hiératique *Bois sacré* – dont les muses intemporelles posant solennellement dans le paysage stylisé d'un parc constituent l'une des images qui ont le plus profondément marqué la fin du XIXe siècle – avait valu à Puvis de Chavannes au Salon de cette année-là, et d'autre part la publication par Huysmans d' *À Rebours*. Il s'agissait du portrait d'un dandy décadent dans un roman pratiquement sans intrigue, qui a fait connaître Gustave Moreau et Odilon Redon à un vaste public et que le courant décadent et fin de siècle a d'emblée adopté comme son manifeste.

Dans le monde des lettres, le plus fervent zélateur de Félicien Rops fut Joséphin Péladan.

5- Edouard Munch, *Puberté*, 1894.
Huile sur toile, 151,5 x 110 cm.
National Gallery of Norway, Oslo.

Sa contribution au numéro spécial de *La Plume* se terminait par une « Déclaration solennelle » où il annonçait qu'avec Puvis de Chavannes, l'harmonieux, Gustave Moreau, le subtil, et Félicien Rops, l'intense, le triangle cabalistique du grand art était achevé. Félicien Rops produisit dès 1884 l'une de ses images les plus célèbres – un squelette de femme coquet et habillé de vêtements à la mode, émergeant d'un cercueil debout ouvert par un maître de cérémonie sans tête –, placée en frontispice du roman de Péladan *Le Vice suprême*. Ce roman, célébration perverse de la chasteté, était le premier d'une suite interminable publiée sous le titre collectif *La Décadence latine*.

Péladan, romancier exotique d'une probité pour le moins douteuse, fut l'un des personnages les plus typiques du Paris fin-de-siècle et occupa dans la littérature une place tout à fait identique à celle de Félicien Rops dans les arts graphiques. Il prétendait posséder des pouvoirs magiques, descendre des rois assyriens et s'était affublé du titre de « Sâr ». Ses manières affectées ont inspiré à Max Nordeau, le célèbre chroniqueur de la décadence fin-de-siècle, un dégoût empreint d'une certaine fascination : « Archaïque dans sa façon de se vêtir, il porte un pourpoint de satin bleu ou noir ; il arbore une

6- Edgar Degas, *Femme à la serviette*, 1898.
Pastel, 95,4 x 75,5 cm.
Metropolitan Museum of Art, New York.

chevelure et une barbe luxuriantes, noires avec des reflets bleutés et taillées à la mode assyrienne ; il aime à lever la main droite, qu'il a fort grande, sans doute pour se donner un genre médiéval, écrit de préférence à l'encre rouge ou jaune et dans le coin de son papier à lettre a fait figurer, emblème de sa dignité, la coiffe des rois assyriens, avec ses trois rouleaux torsadés s'ouvrant sur le devant. »

En 1892, Péladan crée un salon symboliste, le Salon de la Rose-Croix, et proclame sa volonté d' « en finir avec le réalisme, réformer le goût latin et créer une école d'art idéaliste ». Rops a collaboré avec lui et des liens d'admiration mutuelle unissaient les deux hommes, mais Péladan n'a jamais réussi à obtenir la coopération de ses deux autres héros artistiques, Puvis de Chavannes et Gustave Moreau, le premier allant même jusqu'à écrire une lettre au *Figaro* pour se dissocier de l'entreprise de l'écrivain.

Étroitement associé au Paris fin-de-siècle, Félicien Rops est en fait né le 7 juillet 1833 en Belgique, à l'époque la plus jeune nation européenne. Moins de trois ans plus tôt, le 25 Août 1830, une représentation de *la Muette* de Portici, le grand opéra d'Auber, à l'Opéra royal de Bruxelles, avait provoqué de violentes

7- *Le Modèle*, vers 1864.
Fusain, aquarelle et gouache, 28,5 x 22 cm.
Bruxelles.

bagarres. Celles-ci avaient rapidement dégénéré en émeutes et donné le signal du soulèvement qui libéra la Belgique de la tutelle de la Hollande, pays auquel elle était rattachée depuis 1815, année de la fin des guerres napoléoniennes.

Quand le jeune Rops arriva à Bruxelles pour y poursuivre ses études, la ville s'efforçait de renaître en tant que capitale digne d'une jeune nation puissante et fougueuse. Au cours des années 1850–1860, elle mit en chantier de grands projets de construction et d'assainissement qui la firent changer d'aspect. La propension triomphaliste de la nouvelle

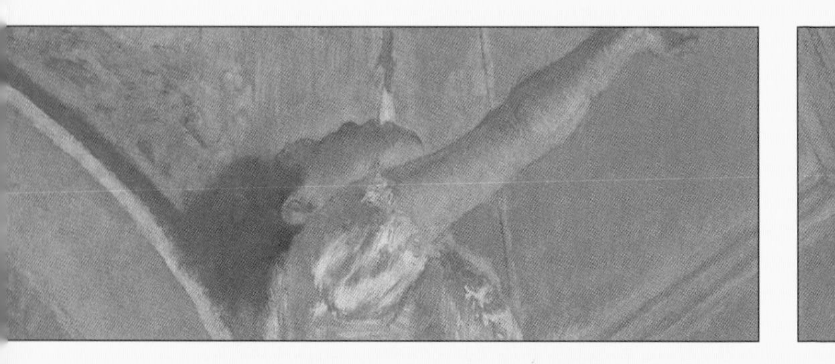

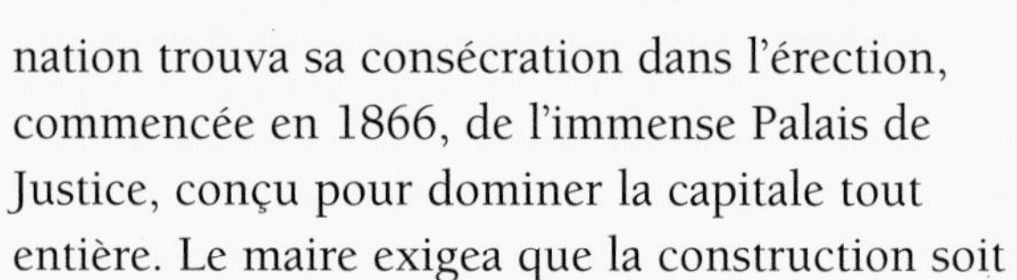

nation trouva sa consécration dans l'érection, commencée en 1866, de l'immense Palais de Justice, conçu pour dominer la capitale tout entière. Le maire exigea que la construction soit

8- Edgar Degas, *Mademoiselle Lala au cirque Fernando*, 1879.
Huile sur toile, 117 x 77,5 cm.
National Gallery, London.

un témoignage de la fortune et de la réussite commerciale de la jeune nation. Un Rapport parlementaire parlait de l'édifice en ces termes : « Il est probable que ces lignes architecturales

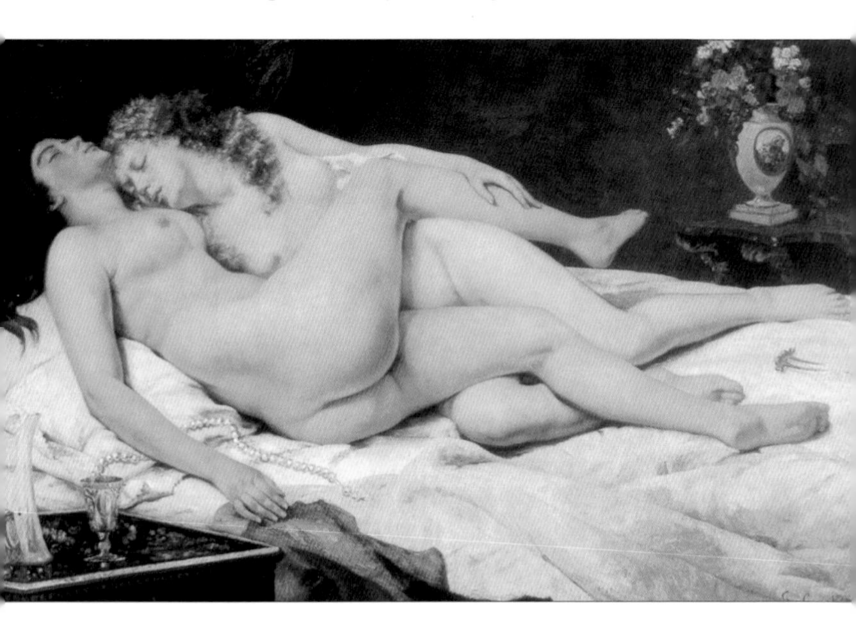

majestueuses, ces colonnades babyloniennes, ces vestibules et ces cages d'escalier grandioses qui, dans leur disposition, rappellent le fameux labyrinthe d'Égypte, ce dôme qui surplombera la ville et ses environs, cette corniche longue d'un kilomètre ne serviront guère les fins auxquelles le bâtiment a été construit. Sa principale raison

9- Gustave Courbet, *Paresse et luxure*.
Huile sur toile, 135 x 200 cm.
Musée du Petit Palais, Paris.

d'être sera de proclamer notre fierté de jeune nation. »

Rien ne permet de penser que Félicien Rops, qui détestait le mercantilisme grossier de son siècle, ait partagé ces sentiments, pas plus que ses amis, les frères Goncourt, ne se sont laissés impressionner par la transformation de leur cher Paris par le baron Haussmann en une « quelconque Babylone américaine du futur ». Il est certain en revanche que l'effervescence qui régnait à l'époque dans son pays natal a été bénéfique à Rops. Avec à sa tête le souverain allemand qu'il s'était choisi à la hâte, le nouvel État-nation connut un essor culturel et économique qui le plaça dans le peloton de tête des pays européens, à la croisée des influences françaises, anglaises et allemandes.

Le croisement produisit des fruits étonnants. La Belgique donna le jour à une école à part entière de littérature francophone, où figuraient des personnages aussi prestigieux que Maurice Maeterlinck (surnommé le Shakespeare belge), Georges Rodenbach et Émile Verhaeren. L'Art nouveau, issu d'une synthèse des influences anglaise et française, a commencé à s'épanouir à Bruxelles au début des années 1890. Le compositeur français d'origine belge César Franck et le violoniste Eugène Ysaie inaugurèrent un âge d'or de la musique franco-belge. À partir de 1886, année de la composition de la *Sonate pour piano et violon*, Ysaie commanda ou exécuta pour la première fois nombre de chefs d'œuvre du répertoire de la musique pour violon et de la musique de chambre, composés notamment par Fauré, Chausson, Debussy et Lekeu. Dès 1884, le groupe des Vingt était devenu, avec ses expositions largement ouvertes à l'avant-garde européenne, le cercle le plus aventureux de son siècle. Outre des artistes belges comme Rops, Ensor et Khnopff, les Vingt ont donné l'occasion d'exposer à un vaste éventail d'artistes étrangers, depuis Whistler, Rodin, Monet, Renoir, Sisley, Morisot et Pissaro jusqu'à des post-impressionnistes comme Seurat, Signac et Gauguin. Ils ont été le seul grand groupe organisateur d'expositions à avoir eu le courage de montrer le travail de Van Gogh du vivant de celui-ci.

Namur, la ville natale de Rops, était assez éloignée de l'effervescence politique et culturelle

10- *L'Attrapade*, 1874.
Aquarelle, 70 x 49 cm.
Collection privée, Bruxelles.

Félicien Rops
PARIS janv. 1877

qui régnait à Bruxelles, mais elle avait fait l'objet de maints combats dans les guerres interminables qui ont ravagé le plat pays aux XVIIe et XVIIIe siècles. Un siècle plus tard, Namur était un petit bourg tranquille et reculé de quelque trente mille habitants. La famille de Rops, qui avait fait fortune dans la fabrication de tissus imprimés, appartenait à la bourgeoisie aisée. Les rares informations que l'on possède sur la vie de Rops ne permettent guère de lever le voile sur les origines des démons qui allaient par la suite hanter l'artiste, abstraction faite de la perte prématurée de son père à l'âge de douze ans. Il est certain qu'il reçut une solide éducation et probable qu'il fut un élève brillant et consciencieux – c'est en tout cas ce que suggère l'étonnement de ses amis devant la facilité avec laquelle, quelques années plus tard, il citait de mémoire de longs passages de la Bible en latin.

Influencés par les théories raciales pseudoscientifiques et néodarwinistes qui étaient en vogue à la fin du XIXe siècle (et qui allaient produire au siècle suivant le fruit mortel que l'on sait), plusieurs écrivains contemporains de Rops ont essayé d'analyser sa personnalité et son art en termes de race. On a dit que son goût de la fantasmagorie lui venait de ses ancêtres

11- *Maturité*, 1886.
Huile sur panneau, 26 x 48 cm.
Musée Félicien Rops, Namur, Belgique.

maternels magyars, mais des études récentes suggèrent que ce serait plutôt le contraire et que les origines hongroises de la mère de Rops seraient le produit de l'imagination de l'artiste. Eugène Demolder a expliqué la complexité de son tempérament et sa dimension en tant qu'artiste moderne par le mélange des sangs magyar, gallo-romain et flamand qui coulaient dans ses veines.

La Belgique elle-même passait pour un creuset où se fondaient les héritages germanique et latin. Dans *De Van Eyck à Bruegel*, l'ouvrage de référence de Max Friedlander sur les primitifs flamands, publié en 1916, la dissemblance entre Van Eyck et Van der Weyden est présentée comme le « signe d'un conflit entre les

12- *La Dame au pantin*, vers 1883–1885.
Aquarelle et crayon de couleur, 38,5 x 26,5 cm.
Musée Felicien Rops, Namur, Belgique.

UBI

tempéraments allemand et latin dont les villes de Flandre ont constitué le champ de bataille ». Demolder considérait quant à lui que c'était le côté allemand qui l'emportait chez Félicien Rops. « Ce qui saute aux yeux dans l'œuvre de Rops », a-t-il écrit, « c'est le sang flamand de l'artiste et, sous les apparences latines, les bases germaniques de son art. »

À l'âge de vingt ans, Rops est allé poursuivre ses études à l'Université libre de Bruxelles.

13- *La Dame au pantin à l'éventail*, 1873.
Phototypie rehaussée de couleurs, 32 x 22 cm.
Musée Felicien Rops, Namur, Belgique.

S'étant découvert un goût pour le dessin, il peaufina son savoir-faire académique de 1854 à 1857 en travaillant d'après modèles vivants à l'atelier de Saint-Luc aux côtés de futures sommités de l'art belge comme Constantin Meunier et Charles de Groux. Il se fit remarquer par ses contributions régulières à la revue *Uylenspiegel*. Par leur style, ses premières lithographies doivent beaucoup à Gavarni et Daumier et, hormis leur humour ravageur, ne laissent guère entrevoir la personnalité future de l'artiste.

En 1857, Félicien Rops épousa Charlotte Polet de Faveaux, descendante d'une riche famille de propriétaires terriens qui possédait un château à proximité de Namur. Baudelaire a dressé un portrait admiratif du beau-père de Rops : « Singulier homme, magistrat sévère et pourtant jovial, grand chasseur et grand citateur

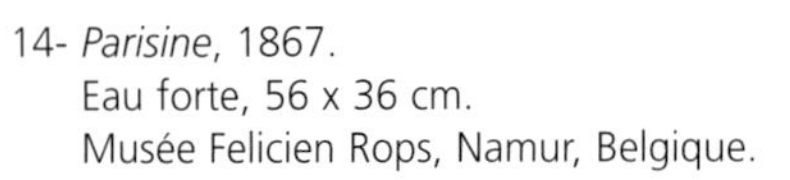

14- *Parisine*, 1867.
Eau forte, 56 x 36 cm.
Musée Felicien Rops, Namur, Belgique.

Edmond & Jules
de Goncourt
Paris 62

15- *La Tentation de Saint Antoine*, 1878.
Crayon de couleur, 73,8 x 54,3 cm.
Bruxelles.

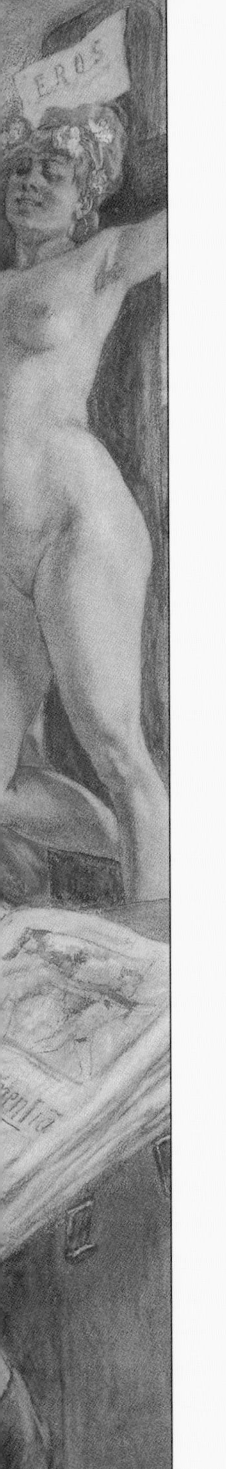




[...]. Le seul Belge connaissant le latin et ayant l'air d'un Français. » Ce mariage avantageux permit à Rops de mener plusieurs années durant la vie d'un gentilhomme de province. Mais cette union n'était pas destinée à durer, malgré la naissance de deux enfants. Au début des années 1860, Rops céda à l'appel de son art et de Paris, la grande capitale mondiale des plaisirs. Une lettre de reproches écrite par Charlotte au milieu des années 1870 témoigne de la dureté de la rupture entre les époux : « Cette dernière liaison, la huitième que je vous connais depuis mon mariage, a été pour vous le châtiment des autres, moi elle m'a tuée ! Puisque vous ne voulez plus me voir et me priez de ne plus vous écrire, je veux que mon dernier mot soit pour vous un mot de pardon. »

Le fait que la pauvre femme ait été si précisément au courant du nombre des liaisons de son mari est révélateur du mépris que celui-ci devait afficher pour les valeurs bourgeoises. L'affaire dont il est

question dans la lettre allait se terminer quelques années plus tard par un scandale et une tragédie, quand Alice Renaud, la maîtresse de Rops, fut assassinée par son mari et que les lettres d'amour du peintre furent lues à haute voix lors du procès qui s'ensuivit.

La vie amoureuse de Rops finit pourtant par acquérir une certaine stabilité, certes d'un caractère étrange et assez peu conventionnel. En 1864, le peintre fit la connaissance de deux jeunes sœurs, Aurélie et Léontine Duluc, âgées respectivement de quatorze et dix-sept ans, avec lesquelles, après sa rupture avec son épouse, il fit ménage à trois jusqu'à la fin de sa vie. Singulièrement peu enclines à la rivalité, les deux sœurs signaient « Auréléon » les lettres qu'elles écrivaient à leur amant artiste, telle celle de 1873 où elles l'imploraient en ces termes : « Il faut venir tout de suite auprès de tes petites femmes qui t'aiment et qui voudraient te tenir dans leurs bras. » Toutes deux allaient lui donner des enfants, mais le fils d'Aurélie, né quand Rops avait cinquante-neuf ans, ne vécut que quelques jours. Les sœurs Duluc fondèrent

16- *Pornocratès*, 1878.
Aquarelle, pastel et gouache, 75 x 48 cm.
Namur.

MUSIQUE
POESIE
ΠΟΡΝΟΚΡΑΤΗΣ

17- Édouard Munch, *Le Cri*, 1893.
Huile, détrempe et pastel sur carton, 91 x 73,5 cm.
National Gallery of Norway, Oslo.

une maison de couture et Rops les accompagna à deux reprises en Amérique pour présenter leurs collections. À la fin de sa vie, lorsque la maladie s'apprêtait à l'emporter, elles s'occupèrent de lui avec dévouement et Rops réussit à avoir gain de cause contre son fils légitime qui avait intenté une action en justice pour le soustraire à leurs soins.

En 1862, Rops est allé à Paris étudier les techniques de l'eau-forte auprès de Félix Bracquemond, qui s'efforçait de revaloriser la gravure, et qui par la suite conseilla Degas lorsque celui-ci voulut s'initier à cet art. Dès lors, Rops ne fit pratiquement plus de lithographie. Bien qu'il continuât de pratiquer la peinture à l'huile, l'eau-forte devint son mode d'expression favori et il s'affirma comme un expérimentateur et un innovateur important en ce domaine. Il inventa, de concert avec Armand Rassenfosse, une nouvelle méthode de vernis mou qu'ils baptisèrent « Ropsenfosse » (la fusion des noms était à l'évidence très en vogue dans l'entourage de Rops).

Rops utilisa des combinaisons peu orthodoxes de techniques et de matériaux qui lui permirent d'obtenir des effets, proches de la peinture, inconnus jusque-là dans la tradition de l'eau-forte.

18- Édouard Manet, *La Prune*, vers 1877–78.
Huile sur toile, 73,6 x 50,2 cm.
National Gallery of Art, Washington DC.
19- *La Buveuse d'absinthe*, 1876.
Aquarelle et gouache, 41,8 x 28,2 cm.
Musée Felicien Rops, Namur, Belgique.

EAUX
BA

20- Edgar Degas, *L'Absinthe (Au Café)*, 1875–76.
Huile sur toile, 92 x 68 cm.
Musée d'Orsay, Paris.

Le jeune artiste de Namur succomba immédiatement au charme de la ville de Napoléon III et d'Eugénie de Montijo, du baron Haussmann et d'Offenbach, ce Paris dont le journal des frères Goncourt dresse un portrait acerbe et cynique. Rops allait désormais tirer son inspiration de l'énergie, des plaisirs et des perversités de la ville lumière. Lorsqu'il était fatigué de travailler, il quittait son atelier pour se mêler à la foule « magnétique » des boulevards. « Au bout d'une heure, j'escaladerais le mont Blanc ; j'ai pris un bain de flammes », écrivit-il dans une lettre. Et plus stimulante encore que sa rencontre avec la ville fut celle qu'il eut avec la population féminine : « Je me suis trouvé face à face avec ce produit formidablement étrange qui s'appelle : une fille parisienne. Monsieur Prudhomme rencontrant au coin du boulevard la Vénus hottentote en costume national serait moins ébahi que je l'ai été devant cet incroyable composé de carton, de taffetas, de nerfs et de poudre de riz. Aussi, comme je les aime ! »

Sur le plan intellectuel, la rencontre parisienne qui s'avéra la plus déterminante pour Rops fut celle de Baudelaire, dont les idées et la vision du monde allaient l'influencer pour le reste de sa vie. Les vers que nous avons cités plus haut attestent que le poète tomba lui aussi sous le charme du jeune artiste.

Les photographies prises dans les années 1860 nous montrent un Rops pimpant et beau garçon qui, à coup sûr influencé par le célèbre essai de Baudelaire *Le Peintre de la Vie moderne*, cultivait le dandysme. Outre le talent littéraire, ses lettres remarquables reflètent l'esprit, le charme et l'intelligence dont il débordait. Il ne lui fallut pas longtemps pour conquérir l'amitié de tous les gens qui comptaient dans le Paris littéraire. Il n'est pas jusqu'aux très sceptiques frères Goncourt qui n'aient succombé à sa fascination. En témoigne le portrait de lui qu'ils tracèrent dans leur *Journal* après une visite qu'ils effectuèrent à son atelier le 5 décembre 1865 :

21- *L'Amour Mouché*, 1878–1881.
Dessin de la collection : *Cent légers croquis pour réjouir les honnêtes gens*, 21,8 x 14,8 cm.
Namur.

« Un bonhomme brun, les cheveux rebroussés et un peu crépus, de petites moustaches noires pincées, un foulard de soie blanche au cou ; une tête où il y a du mignon d'Henri III et de l'Espagnol des Flandres ; une parole vive, ardente, précipitée, où l'accent flamand a mis une espèce de *rra* vibrant. [...] Il nous parle du moderne qu'il veut faire d'après nature, du caractère qu'il y trouve, de l'aspect sinistre, presque macabre qu'il a trouvé chez une putain du nom de Clara Blum, à un lever du jour à la suite d'une nuit de pelotage et de jeu. »

Très tôt dans sa carrière, Rops s'est ouvertement donné pour objectif de capturer l'esprit et l'apparence de l'époque dans laquelle il vivait. « J'ai une ambition obstinée, qui est le

22- *La Chanson du chérubin*, 1878–1881.
Dessin de la collection : *Cent légers croquis pour réjouir les honnêtes gens*, 22 x 15 cm
Namur.

désir de peindre les types et les scènes de ce XIXe siècle que je trouve très curieux et très intéressant. »

« L'amour des plaisirs bestiaux », expliqua-t-il en une autre occasion, « le souci de l'argent et des intérêts mesquins ont collé sur le visage de la plupart de nos contemporains un masque sinistre où l'instinct de perversité dont parle Edgar Allan Poe se lit en capitales ; tout ceci me semble suffisamment amusant et typique pour que les artistes bien intentionnés s'efforcent de rendre l'apparence de leur temps. »

La majorité des auteurs des nombreux éloges rassemblés dans le numéro spécial de 1896 de *La Plume* affirment que l'aspect le plus moderne de Rops réside dans sa compréhension profonde et pénétrante de la femme de son époque. Ce qui en tout cas, dans

23- *Le Pesage à Cythère*, 1878–1881.
Frontispice pour le sixième livre de poèmes de la collection : *Cent légers croquis pour réjouir les honnêtes gens*.
Aquarelle et crayon noir, 22 x 15 cm.
Namur.

SIXIEME DIXAIN
CYTHERE
BONS TURCS

24- *La Foire aux amours*, 1885.
Crayon et aquarelle, 27 x 20,5 cm.
Musée Félicien Rops, Namur, Belgique.

ces premières critiques du travail de Rops, semble le plus frappant, et à vrai dire le plus choquant pour les sensibilités d'aujourd'hui, c'est l'implacable et féroce misogynie de leurs auteurs. « Ah ! Comme il a bien capturé dans son œuvre satyrique la fille de notre époque, la fille malingre à l'expression à la fois figée et brouillée par l'alcool, à la mâchoire protubérante et dont la force, incompréhensible aux gens simples et en bonne santé, est faite d'émaciation rusée et fourbue, de laideur, de stupidité et d'odeur d'égout », s'exclame Arsène Alexandre. Eugène Demolder disait quant à lui de Rops : « Comme un implacable Darwin, il a dans ses planches, sous les ailes blanches de la Femme, tant chantées par les poètes, retrouvé, en les déplumant, les hideuses membranes des ptérodactyles fossiles, reptiles volants et malfaisants, dont la femme est, à ce qu'il montre, la normale et diabolique continuation zoologique. » Quant à Péladan, qui pensait que la décadence des civilisations croît avec le pouvoir qu'y détiennent les femmes, il décrivait Rops comme « un penseur qui a été frappé par la place énorme que l'ensorcellement de l'homme par la femme occupe dans l'effondrement des races latines ».

Encore plus outrancier est le ton de Huysmans, qui, dans son emballement pour Rops, atteint les sommets de la frénésie misogyne : « Loin du siècle, dans un temps où l'art matérialiste ne voit plus que des hystériques mangées par leurs ovaires ou des nymphomanes dont le cerveau bat dans les régions du ventre, il a célébré non la femme contemporaine, non la Parisienne, dont les grâces minaudières et les parures interlopes échappaient à ses expertises, mais la Femme essentielle et hors du temps, la Bête venimeuse et nue, la mercenaire des Ténèbres, la serve absolue du Diable. »

Ces opinions extrêmes se retrouvent dans les œuvres et les écrits de bien des peintres et écrivains de l'époque. Les diatribes de Degas contre les femmes sont célèbres et voici ce que Gustave Moreau, autre coqueluche des poètes, a dit à propos de sa propre aquarelle *Salomé au jardin* : « Cette femme ennuyée, fantasque, à nature animale, se donnant le plaisir, très peu vif pour elle, de voir son ennemi à terre, tant elle est dégoûtée de toute satisfaction de ses désirs.Cette femme se promenant

25- *L'Amour à travers les âges* , 1885.
Illustration pour *Son Altesse la femme* d'Octave Uzanne, (Paris, 1885), 30,5 x 23,6 cm.
Namur.

Compendium
Maleficarum
De
Demonialitate
De Viperis
De Venenis

nonchalamment d'une façon végétale et bestiale dans les jardins qui viennent d'être souillés par cet horrible meurtre qui effraye le bourreau lui-même, qui se sauve éperdu [...]. Quand je veux rendre ces nuances-là je les trouve, non pas dans mon sujet, mais dans la nature même de la femme dans la vie, qui cherche des émotions malsaines et qui, stupide, ne comprend même pas l'horreur des situations les plus affreuses. »

Nul besoin de coucher Moreau, Degas, Munch et d'autres admirateurs de Rops sur le divan du psychanalyste pour deviner que leur peur des femmes avait des causes psychologiques personnelles. Mais comment expliquer la misogynie généralisée qui imprègne la culture occidentale de la fin du XIXe siècle et le culte de la femme fatale – créature malfaisante et

26- *L'Incantation*, vers 1878. Ce dessin est aussi connu sous le titre *L'Alchimiste*.
Illustration pour *Son Altesse la femme* d'Octave Uzanne (Paris, 1885), 32 x 18 cm
Namur.

fascinante –, omniprésent non seulement dans la littérature mais encore dans l'allure vampirique des portraits à la mode, dans le rembourrage agressif des vêtements féminins et jusque dans les bijoux hérissés et reptiliens dont les femmes se paraient ? Se pourrait-il que les modestes progrès accomplis par la condition féminine à la fin du XIXe siècle aient plongé l'ensemble de la population masculine dans l'hystérie ?

En Grande-Bretagne, la loi de 1870 sur les biens des femmes mariées et ses amendements de 1882 et 1893 ont donné aux femmes un certain contrôle sur leurs possessions. Plusieurs pays européens ont concédé aux femmes un accès limité à l'éducation supérieure et aux professions libérales et elles ont profité, dans la totalité du

27- *La Grande Lyre*, 1887.
Frontispice pour les *Poésies* de Stéphane Mallarmé (Paris, 1887), Heliogravure, 21,7 x 14,7 cm.
Musée Félicien Rops, Namur, Belgique.

Félicien Rops

monde occidental, de l'invention de la machine à coudre et de la machine à écrire, qui leur ont offert une issue à l'alternative mariage ou prostitution. Il y a même eu des pays où l'on a commencé à parler de l'éventualité de leur donner le droit de vote. Mais on conçoit mal que des progrès aussi bénins aient pu servir de prétexte à des réactions aussi extrêmes.

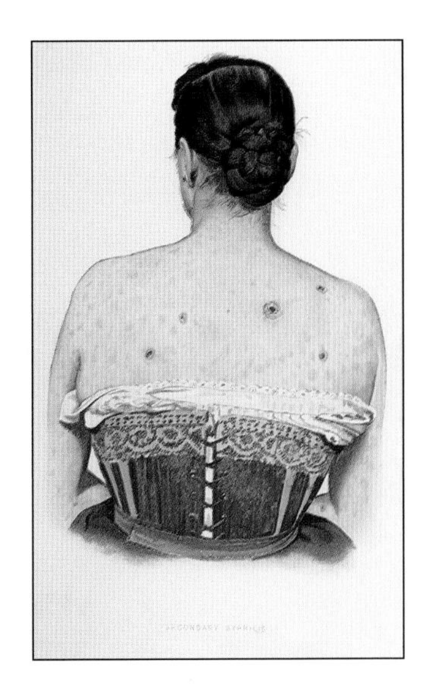

Peut-être la misogynie de Rops a-t-elle été amplifiée par certains de ses admirateurs mais elle est indéniablement présente dans son œuvre et elle va bien au-delà de l'âge, de la race ou de la classe sociale de chacune des femmes dont il fait le portrait.

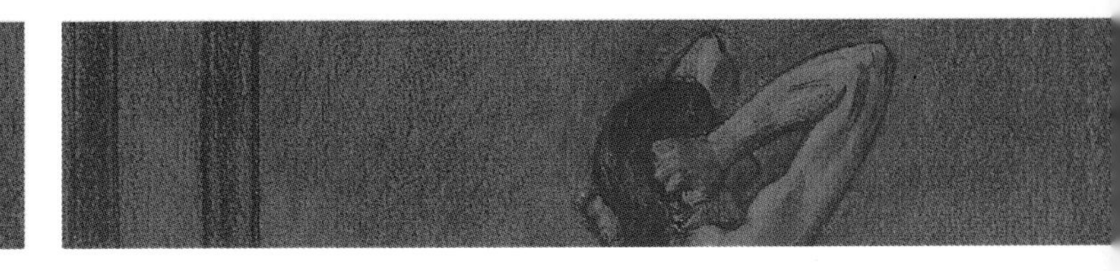

28- *La Peine de mort*, 1859.
Crayon gras, 43 x 30 cm.
Musée Félicien Rops, Namur, Belgique.
29- Illustration médicale de la Syphilis.
Collection de l'auteur.

Quelque chose de menaçant émane de la fille impubère de *la Petite sorcière*, qui montre ses fesses et tente de jeter son premier sort, tout autant que de la vieille décrépite et malveillante de la *Tête d'une vieille Anversoise.*

« Je dessinerais avec le même plaisir les yeux fardés des Parisiennes et la chair généreuse et épanouie de mes sœurs flamandes », a écrit Rops, qui, comme l'ont tout de suite relevé les critiques, a exploité le contraste entre le caractère artificiel et pervers de la Parisienne et la saine simplicité de la Flamande.

Les peintures de la vie paysanne qu'a données Rops sont ouvertement inspirées de Millet, dont la popularité atteignait son point culminant en cette fin du XIX$^{e}$ siècle. *Le Bout du sillon* est un détournement du fameux *Angélus* de Millet, dont la reproduction ornaient les murs d'innombrables foyers bourgeois du monde francophone. On sait que Salvador Dalí a suggéré que ce n'est pas par respect pour la piété de sa femme que le

30- *Parodie Humaine*, 1878–1881.
Dessin de la collection : *Cent légers croquis pour réjouir les honnêtes gens*, 22 x 14,5 cm.
Namur.

LE
RIDEAU CRAMOISI

paysan du tableau de Millet tient son chapeau au bas de son ventre mais pour cacher son érection. Rops l'avait précédé dans le fantasme grivois en peignant le couple enlacé et le jeune homme en train de caresser la généreuse poitrine de sa compagne. La méchanceté parisienne a déteint sur le monde rural de Rops. Sa *Laitière flamande* ployée sous un panier rustique a l'air d'avoir emprunté le rimmel de sa cousine parisienne plus sophistiquée et dévisage le visiteur avec une expression tout aussi troublante que celle de n'importe quelle cocotte de Paris.

Rops est plus convaincant et plus fidèle à ses prédilections lorsqu'il peint les citadines. Il se délecte de leurs toilettes élégantes et de leur apparence artificielle. « La femme habillée, a observé Péladan, nul ne l'a comprise comme lui ; de la toilette, il a fait un moyen expressif d'une intensité incroyable, il a niché les sept péchés capitaux dans un pli d'étoffe, et non pas animé, mais animalisé la robe. »

La relation de Rops avec les sœurs Duluc a indubitablement aiguisé sa perception du caractère éminemment changeant de la mode parisienne. Le portrait des riches lesbiennes des *Adieux d'Auteuil* reflète une observation

31- *Le Rideau Cramoisi*, 1879.
Crayon et gouache, 24,9 x 17,9 cm.
Bruxelles.

32- *L'Inititation sentimentale*, 1887.
Crayon et aquarelle, 29,2 x 18,2 cm.
Musée du Louvre. Paris.

33- *Naturalia*, vers 1875.
Aquarelle, crayon et gouache, 27 x 19,5 cm.
Bruxelles.

amoureuse des accessoires bizarres et extravagants dont s'ornaient les vêtements féminins.

Huysmans a vu dans l'obsession de Rops un signe de chasteté. « Au fond quand on y songe, [...] il n'y a de réellement obscènes que les gens chastes », a-t-il écrit dans les premiers paragraphes de son panégyrique. Les lettres grossières et fanfaronnes où le peintre laisse libre cours à l'attrait sexuel qu'il éprouvait pour ses modèles sont là pour démentir cette théorie. *Pornocratès ou la dame au cochon*, un dessin daté de 1878 qui figure parmi les plus beaux et les plus célèbres de Rops, lui a été inspiré par le désir qu'il nourrissait pour une belle jeune fille blonde vêtue de « bas noirs à fleurs rouges ». Il l'a représentée nue à l'exception des bas noirs et d'« un de ces énormes chapeaux de velours noir rehaussés d'or à la Gainsborough qui donnent aux filles d'aujourd'hui l'insolente dignité des femmes du XVIIIe siècle ». Péladan a vu en Rops « l'inventeur de ces longs gants et de ces grands bas noirs qui, sans rien enlever au modelé, donnent un accent extraordinaire et pervers ». Les gants noirs de la dame au cochon ont marqué bien des artistes et il est probable que, consciemment ou non, la grande chanteuse Yvette Guibert ait emprunté les siens au *Pornocratès*.

34- *La Mort au bal*, vers 1865–75.
Huile sur toile, 151 x 85 cm.
Kröller-Müller Museum, Otterlo.

Rops était particulièrement fier de cette œuvre. Il confia à un ami : « Ce dessin me ravit. Je voudrais te faire voir cette belle fille nue chaussée, gantée et coiffée de noir, soie, peau et velours, se promenant sur une frise de marbre, conduite par un cochon à queue d'or. J'ai fait cela en quatre jours dans un salon de satin bleu, dans un appartement surchauffé, plein d'odeurs, où l'opoponax et le cyclamen me donnaient une petite fièvre salutaire à la production et même la reproduction. » Il en demanda cinq cents francs, ce qui représentait une somme coquette, sous prétexte que « Entre toi et moi, il ne m'a pas coûté beaucoup moins cher. Je n'emploie pas des modèles ordinaires, et les créatures bizarres qui, comme la mystérieuse Isis, acceptent d'enlever leurs habits de princesse dans mon atelier sont plus intéressées par la considération que par l'argent, or rien n'est aussi cher que la considération ! », après quoi il dresse la liste de

35- *La Mort qui danse*, vers 1865.
Crayon gras et rehauts de craie blanche, 25 x 13 cm.
Musée Félicien Rops, Namur.

tous les petits cadeaux dont il a inondé le modèle, y compris « soixante quartiers d'orange en verre » et la location de jumelles de théâtre.

Péladan voyait en Rops « le maître du modelé et de l'anatomie féminine », privilège que les historiens d'aujourd'hui seraient plus enclins à attribuer à Degas. On peut tracer bien des parallèles entre les deux artistes et leur œuvre met en vedette le même genre de personnages féminins : danseuses, acrobates, buveuses d'absinthe et prostituées. Tout en admettant qu'il était peut-être allé trop loin dans sa façon de traiter les femmes comme des animaux, Degas se flattait lui aussi de porter un regard « scientifique » sur le sexe opposé, tel un anthropologue ou un zoologiste étudiant une espèce rare. Si l'on en juge d'après les modes de pensée qui ont cours aujourd'hui, les idées de Degas sont à peine moins choquantes que celles de Rops et ses admirateurs, même si, contrairement à Rops, sa représentation des femmes réussit toujours à transcender la banalité et la vision littéraire. Rops insiste beaucoup plus que Degas sur l'expression du visage. Il suffit pour s'en convaincre de comparer la jeune *Buveuse d'absinthe* à l'expression sinistre et « fatale » du premier avec la femme indigente de *L'Absinthe* du second, la désolation où

36- *Les Diaboliques : Le Sphinx*, 1879.
Illustration pour *Les Diaboliques* de Jules Barbey d'Aurevilly (Paris, 1884). Crayon et aquarelle, 25 x 18 cm. Bruxelles.

EPIDEM

37- *Épidémies, Endémies*, 1870.
Encre, 15,5 x 23,5 cm.
Bruxelles.

est véhiculée par des moyens visuels plus subtils, tels que le positionnement et les postures des personnages au sein de la composition ou encore les couleurs ternes et les aplats. On peut établir une comparaison similaire entre *Mademoiselle Lala au cirque Fernando* de Degas et *La Femme au trapèze* de Rops. Là encore celui-ci table sur l'expression faciale là où celui-là préfère capturer la posture de Mademoiselle Lala en train de se balancer dans le vide, suspendue par les dents. En cette époque où les femmes respectables étaient censément de fragiles créatures enserrées dans des corsets et toutes sortes de vêtements sophistiqués, affligées en permanence de maladies mystérieuses, la femme acrobate de Degas a quelque chose de pervers et d'excitant. Rappelons que Dante Gabriel Rossetti a payé une acrobate pour séduire Swinburne, le poète à l'innocence virginale, et que le héros dégénéré dépeint par Huysmans dans *À Rebours* tente de ranimer sa libido défaillante en faisant l'amour avec une acrobate de cirque.

38- *La Bibliothécaire*, vers 1878–80.
Crayon et gouache, 22 x 14,5 cm.
Namur.

Felicien Rops

Mais c'est dans la façon de traiter le thème de la toilette que les deux peintres se différencient le plus. Degas observe ses modèles comme à travers le trou d'une serrure. Leur visage est flou ou hors de vue et c'est par le langage de leur corps qu'il nous fait comprendre qu'elles sont pleinement et inconsciemment absorbées dans leur activité, que celle-ci consiste à s'habiller, à se déshabiller, à se laver ou à se peigner. Dans les portraits de femmes que Rops a laissés, la présence masculine est soit indiquée, comme dans *Le Quatrième verre de cognac* et *Le Collant*, soit implicite, comme dans *Le Stratagème des jarretières*, et les femmes ont un sourire mystérieux et entendu que les admirateurs du peintre ont souvent comparé à celui de Mona Lisa.

Ce qui distingue radicalement Rops de Degas et le rapproche de la tournure d'esprit des symbolistes et des décadents, c'est l'association de l'amour et de la mort et l'obsession de la maladie. Ces thèmes, ou pour le moins l'encouragement à les exploiter, lui ont très certainement été apportés très tôt dans sa carrière par son mentor Charles Baudelaire. Outre le frontispice du *Vice suprême*, mentionné plus haut, Rops a laissé plusieurs images où la chair rongée de femmes tirées à quatre épingles

39- *Les Deux Amies*, vers 1880–90.
Aquarelle, 30,5 x 21 cm.
Namur.

40- *Amours préhistoriques*, vers 1878.
Crayon de couleur, gouache et aquarelle, 30,5 x 23,6 cm.
Namur.

laisse voir le squelette, notamment l'eau-forte intitulée *La Mort au bal* d'après la *Danse macabre* de Baudelaire ou, encore plus épouvantable, *La Nonne ailée déchue*, qui nous offre une perspective vertigineuse sur les jambes

largement écartées d'une nonne et le trou béant de son vagin. Au-dessus apparaît son crâne décharné aux orbites vides enveloppé par le voile. L'eau-forte intitulée *Mors syphilitica* exprime de façon plus explicite les peurs qui sont tapies derrière ces troublantes images : le corps ravagé et en voie de décomposition d'une

41- *Le Droit au travail – Le Droit au repos*, vers 1868.
Technique mixe.
Bruxelles.

Felicien Rops

femme arborant un horrible sourire édenté se tient dans une semi-nudité répugnante devant une faux, symbole de la mort. Rops avait de bonnes raisons de craindre la syphilis, qui faisait des ravages dans le milieu d'artistes bohèmes où il vivait. Parmi les amis et connaissances du peintre qui en sont morts, l'on peut mentionner Baudelaire, Flaubert, Maupassant, Jules de Goncourt, Alphonse Daudet, Manet et Gauguin. Une lettre de 1877 trahit la panique de Rops quand il crut avoir détecté sur lui les symptômes de la maladie : « J'ai souffert énormément et je souffre toujours – l'étrange maladie m'a beaucoup inquiété et elle continue de le faire. J'ai vu, sous mon propre toit, le commencement des misères de Baudelaire, et il y a très

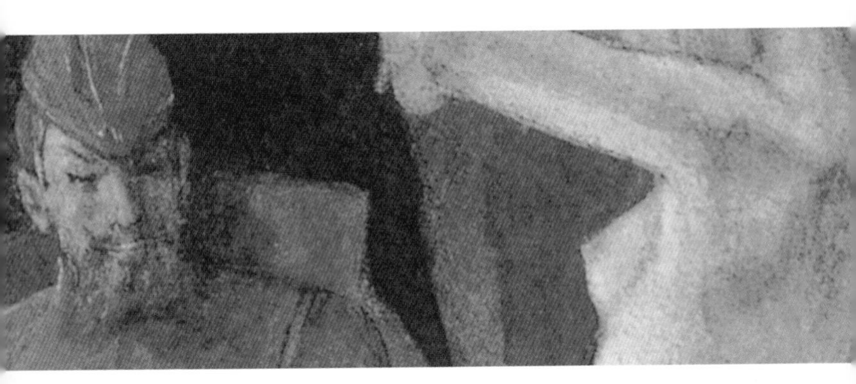

42- *Dans les Coulisses*, vers 1879–1881.
Crayon de couleur, pastel et aquarelle, 22 x 14,5 cm.
Collection privée, Bruxelles.

certainement des similitudes. » Il s'avéra heureusement que c'était une fausse alerte. Il n'empêche que les occasions d'observer de près les atteintes terribles et inexorables de la syphilis dans sa période tertiaire ne lui ont pas manqué.

En règle générale, c'est au partenaire féminin qu'on attribuait la responsabilité du déclenchement de la maladie. Alphonse Daudet, qui a couché dans son journal, publié après sa mort sous le titre *La Doulou*, un récit émouvant de son déclin physique, prétendait avoir été contaminé à l'âge de dix-sept ans par une dame chargée de lire à haute voix à la cour de Napoléon III. On ne voit pas très bien d'où il tirait cette certitude à l'issue d'une vie de promiscuité au cours de laquelle il a probablement transmis la maladie à de

43- *Nubilité*, vers 1878–1890.
Dessin avec des écritures dans la marge, 39 x 30,5 cm.
Bruxelles.

Les mauvais
Les Pervers
Les Ennemis
Faits pour la bouche
Des Hommes!
Pour Eux
Ils quitteront la calme maison
Sans se retourner
Sans écouter
Les plaintes de la dolente épousée
Ils prendront
Pour Eux
Les richesses du Voisin.
Ils tremperont
Leurs mains dans le sang rouge
De leurs frères
Sans regrets,
Sans jamais regretter rien
Des choses qui furent!
Et, pour Eux
Jusqu'au grand Jugement
Insulteront
Les Dieux
De tous les Paradis!

44- *Dimanche à Bougival*, 1876.
Huile sur papier marouflé sur panneau, 44 x 66 cm.
Musée Félicen Rops, Namur, Belgique.

nombreuses personnes. Il raconte dans son journal l'histoire d'un vieillard luxurieux, un certain baron X : « Quand il avait seize ans, son oncle le Marquis de Z l'emmena dîner au Café Anglais. Le fruit de cette soirée fut un titre de transport pour Lamalou (un sanatorium où l'on soignait la syphilis). » Une affiche dessinée par l'artiste catalan Ramón Casas pour un sanatorium du même genre situé à Barcelone attribue aussi ouvertement aux femmes la responsabilité de la contagion. On y voit une charmante jeune fille offrant d'une main une fleur et tenant de l'autre un serpent caché derrière son dos. Hormis la redoutable Joséphine Butler, qui fit campagne en Angleterre pour le retrait de la loi sur les maladies infectieuses, laquelle autorisait l'inspection médicale obligatoire pour les femmes et pas pour les hommes, peu de gens au XIXe siècle étaient prêts à remettre en question cette manière de penser. L'affiche illustrée par Casas portait la promesse mensongère d'une « guérison complète et radicale ». Comme Rops devait bien le savoir, les cures proposées à l'époque pour la syphilis étaient pour la plupart inutiles et dans certains cas plus dangereuses que la maladie elle-même. Le mercure passait pour le remède le

45- *La Bouge à matelot*, 1875.
Aquarelle, pastel et gouache, 60,5 x 46,5 cm.
Namur, Belgique.

plus efficace. « Une nuit avec Vénus, une vie au mercure », disait une plaisanterie.

Autre caractéristique qui faisait de lui un disciple de Baudelaire et un homme de son temps, Rops était fasciné par l'homosexualité féminine, thème chanté dans *Femmes damnées* et *Lesbos*, deux poèmes des *Fleurs du mal*, ainsi que par Théophile Gautier dans son roman *Mademoiselle de Maupin*, et repris plus tard par nombre d'artistes du XIXe siècle, dont Courbet et Toulouse-Lautrec. À en croire la profusion de guides destinés au tourisme sexuel à Paris publiés à l'époque, l'homosexualité était très répandue dans le milieu pléthorique des prostituées parisiennes, mais le ton salace de ces publications laisse à penser qu'elles cherchaient davantage à flatter les fantasmes masculins qu'à donner un reflet fidèle de la réalité. Contrairement à Lautrec, chez qui les étreintes des femmes sont montrées avec tendresse, Rops les peint sous un jour monstrueux et pervers.

Parmi les nombreuses illustrations et frontispices que Rops a donnés aux éditeurs de littérature érotique interdite, il en est une bonne proportion où il s'est abaissé au niveau de la pornographie pure et simple. Ces images truculentes, dépourvues de toute prétention artistique ou philosophique, montrent que les traditions ancestrales de l'art érotique, depuis la

46- *La Toilette*, vers 1878–1881.
Aquarelle, crayon de couleur, 22 x 14,5 cm.
Paris.

Félicien Rops

Grèce antique jusqu'aux estampes japonaises en passant par Marc-Antoine Raimondi et Rowlandson, lui étaient familières.

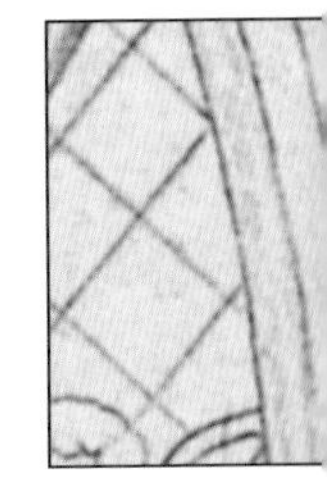

Pour les poètes décadents de la fin du XIX$^{e}$ siècle, la plus excitante des perversités dont Rops épiçait son art était le blasphème. Des images comme *la Nonne au candélabre*, qui montre une nonne en train de se masturber avec une bougie, ou l'encore plus scandaleuse *Sainte-Thérèse*, où la sainte carmélite atteint l'extase que l'on sait avec l'aide d'un godemiché, visaient à l'évidence à choquer. Mais les poètes ne se sont pas trompés lorsqu'ils ont identifié l'ambitieuse série de rites et d'orgies sataniques gravée par Rops comme sa réussite la plus remarquable et la plus caractéristique. Comme l'ont observé plusieurs de ses admirateurs, le blasphème n'a de sens que pour les croyants, d'où l'image de mystique, voire de moraliste, que Rops a pu avoir auprès de certains. Huysmans,

47- *l'Amante du Christ*, 1888.
Crayon, 39 x 26 cm.
Bruxelles.

qui voyait dans son œuvre de l'« ordure spiritualisée », pensait que c'était également « l'ultime expression de l'art catholique chez les modernes ». Un article publié en 1890 dans le *Journal de Bruxelles* proclamait : « Nous n'avons pas affaire ici à de petites scènes érotiques destinées à la délectation de vieux débauchés. Il s'agit d'une vision profonde, terrifiante, entièrement spirituelle de la damnation de la chair coupable. Jamais un artiste chrétien n'a dépeint avec autant de vigueur les ravages produits par le vice. Rops est le véritable père de l'Eglise infernale. » On l'a qualifié de « primitif à rebours » de la spiritualité perverse, accomplissant « l'œuvre inverse de Memling » (Huysmans), d'« antithèse de Fra Angelico » (Péladan) et de « revers sombre et brûlant de la médaille séraphique de Van Eyck » (Demolder).

Les trente premières années du XIXe siècle ont été le théâtre d'une extraordinaire prolifération des cultes et croyances mystico-ésotériques, depuis les formes extrêmes du catholicisme jusqu'à Édouard Schuré en passant par la théosophie de Madame Blavatsky, les philosophies orientales et le satanisme. Max Nordau y a vu le signe manifeste de la décadence de la civilisation occidentale : « Nous avons déjà appris à identifier le mysticisme comme l'une des principales caractéristiques de

48- *Les Diaboliques : À un dîner d'Athées*, 1879.
Crayon, 24,4 x 18,5 cm.
Bruxelles.

49- *Le Cathéchisme des Gens Mariés*, 1881.
Héliogravure, 14,9 x 11,7 cm.
Musée Félicien Rops, Namur, Belgique.

la dégénérescence. Sa présence dans l'équipage de celle-ci est si fréquente qu'il n'existe pratiquement pas de cas de dégénérescence dans lequel il n'apparaisse pas. Donner des références pour étayer cette observation est à peu près aussi inutile que d'apporter des preuves à l'appui du fait que le typhus s'accompagne toujours d'une poussée de température. » De l'avis de Huysmans, ce regain de mysticisme était le produit du matérialisme grossier de l'époque et du désenchantement consécutif à l'effondrement de la croyance au progrès. « Quelle bizarre époque ! », dit Durtal, le héros de *Là-bas*, le roman satanique de Huysmans publié en 1891, « C'est juste au moment où le positivisme bat son plein que le mysticisme s'éveille et que les folies de l'occulte commencent. [...] Dire que ce siècle de positivistes et d'athées a tout renversé, sauf le Satanisme qu'il n'a pu faire reculer d'un pas ! » La description par Huysmans d'une messe noire, qui constitue le point culminant du roman, s'inspire manifestement des extraordinaires images gravées par Rops à la fin des années 1870 pour un projet de publication intitulé *Les Sataniques*. L'image du Christ sur l'autel provient directement du *Calvaire* : « Alors l'autel apparut, un autel d'église ordinaire, surmonté d'un tabernacle au-dessus duquel se

50- *Les Sataniques : L'Enlèvement*, 1882.
Héliogravure, 28,2 x 20,9 cm.
Musée Félicien Rops, Namur, Belgique.

51- *Les Sataniques : Le Calvaire*, 1882. Héliogravure, 27,9 x 20,7 cm. Musée Félicien Rops, Namur, Belgique.

52- *Les Sataniques : L'Idole,* 1882.
Héliogravure, 28,2 x 20,9 cm.
Musée Félicien Rops, Namur, Belgique.

53- *Les Sataniques : Le Sacrifice*, 1882.
Aquarelle, crayon et gouache, 28,5 x 18 cm.
Musée Félicien Rops, Namur, Belgique.

DESSOUS
CARTES
D'UNE
PARTIE
DE
WHIST
Felicien Rops

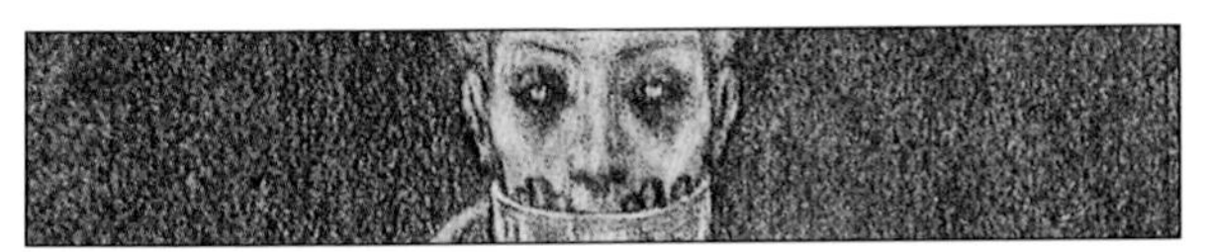

dressait un Christ dérisoire, infâme. On lui avait relevé la tête, allongé le col et les plis peints aux joues muaient sa face douloureuse en une gueule tordue par un rire ignoble. Il était nu, et à la place du linge qui ceignait ses flancs, l'immondice en émoi de l'homme surgissait d'un paquet de crin. »

De toute la *Suite des Sataniques*, la plus troublante est peut-être *Le Sacrifice*, une gravure qui montre une femme nue allongée sur un autel, convulsée par l'extase ou l'agonie, tandis que la pénètre un phallus tentaculaire émergeant d'une bête au pubis velu et que des chérubins à tête de mort voltigent au-dessus. Le personnage de la femme fait référence à une gravure, intitulée *La Pieuvre*, qui représente une femme pénétrée dans chaque orifice de son corps par les tentacules d'un poulpe, image qui trouve elle-même son origine dans *Le rêve de la femme du pêcheur*, une estampe d'Hokusai portée aux nues par l'Europe du XIXe siècle. En 1898, Mascagni s'inspira de ces images bizarres pour une aria de son opéra *Iris*. Signalons toutefois que, contrairement à bien des Français de son

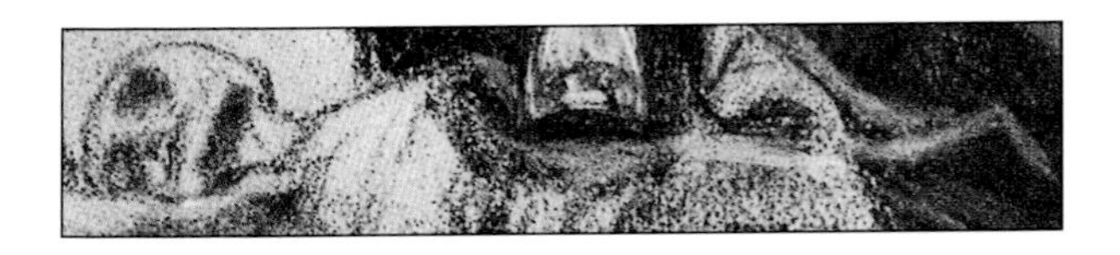

54- *Les Diaboliques : le Dessous de Cartes d'une Partie de Whist*, 1884. Héliogravure.

époque, Rops n'était pas du tout sensible aux qualités esthétiques des estampes japonaises ; seule l'intéressait la crudité des représentations érotiques.

Malgré leur caractère très explicite, on ne peut guère dire des gravures sataniques de Rops qu'elles soient érotiques, s'il faut entendre par là qu'elles éveillent le désir. Elles sont plutôt susceptibles de produire l'effet contraire chez la plupart des gens. Elles constituent, selon l'expression d'Arsène Alexandre, « un poème de la chair exaspérée, de plus en plus furieuse et de moins en moins désirable ».

Rops n'était pas le génie que ses admirateurs écrivains ont vu en lui. Son coup de crayon était sec et académique et il avait l'imagination plus littéraire que visuelle. Pour le dessin, on lui préfére aujourd'hui Degas et pour l'imagination visuelle Redon ou Moreau. Il n'en reste pas moins un personnage fascinant. Son œuvre et les réactions qu'elle a suscitées chez ses contemporains jettent un vif éclairage sur la psychologie propre à la fin du XIXe siècle. Octave Mirbeau a résumé l'homme en quelques mots sans emphase : « Peintre, littérateur, philosophe, savant, Rops est tout cela. Ses eaux-fortes, ses aquarelles, ses tableaux portent tous l'empreinte magnifique de ce cerveau à qui rien n'a été caché de la science humaine, et de ce cœur qui vibre à tous les frissons. »

55- *Les Diaboliques : Le Bonheur dans le crime*, 1884.
Dessin original au crayon, 28,5 x 19 cm.